DK 아틀라스시리즈

Activity Book 4

우주대여행

데스루

지구

지구는 화산이나 지진을 통해 표면을 재생하기 때문에 지표면이 끊임없이 변하고 있다. 그리고 이산화탄소가 많은 인근의 행성들과는 달리 지구의 대기에는 질소와 산소가 풍부하다. 이 대기는 태양으로부터의 해로운 전파를 막고 운석과의 충돌로부터 지구를 지킨다. 무엇보다 지구는 물이 존재하는 유일한 행성이다. 끊임없이 변하는 지표면과 바다, 대기 덕분에 지구에는 다른 행성에는 없는 생명이 진화할 수 있었다.

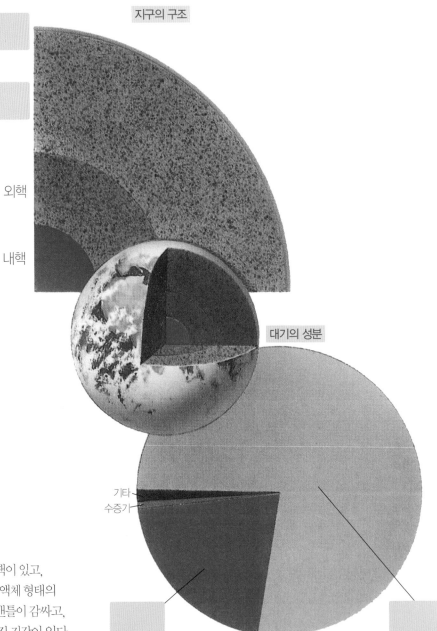

지구의 구조

반지름 : 6,378km

외핵

내핵

대기의 성분

기타
수증기

지구의 내부를 알아 보아요!

중심에는 섭씨 4천도의 딱딱한 철로 된 핵이 있고, 그 주위에는 지구의 자장을 만들어 내는 액체 형태의 철로 된 외핵이 있다. 그 바깥쪽을 암석 맨틀이 감싸고, 맨 위에는 좀더 가벼운 암석으로 이루어진 지각이 있다.

지구를 색칠해 보세요.
지구의 표면을 잘 살펴보고, 색칠해 보아요.
빈칸에 답을 적은 뒤, 영어 이름도 따라 써 보세요.

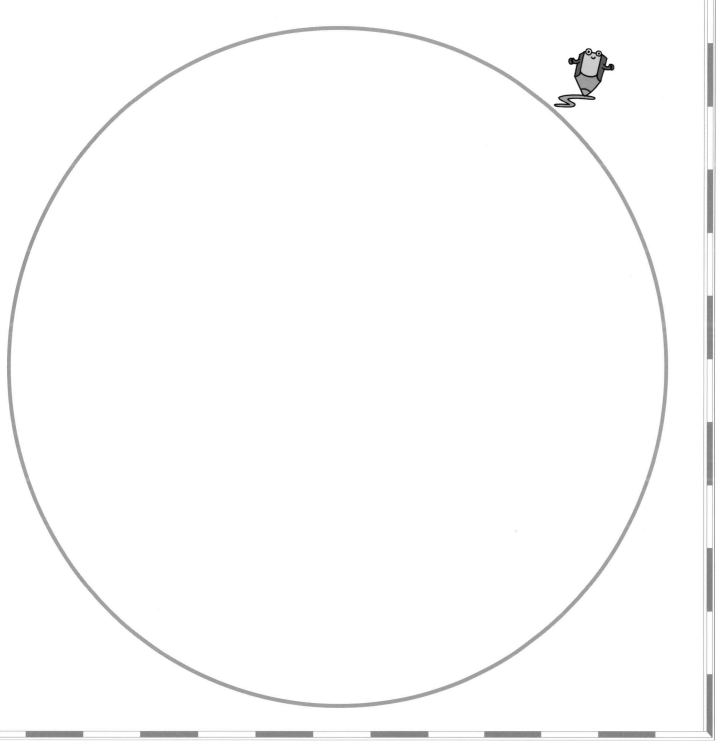

토성

가스 거대 행성에는 모두 고리가 있지만, 다른 행성의 고리가 어두운 데 반해 토성의 고리는 눈부실 정도로 밝고 넓다. 너비가 거의 지구와 달 사이의 거리만큼이다. 위성도 지금까지 관측된 것만 47개나 된다. 그러나 1933년, 1960년, 1990년, 흰색 대백점(거대한 태풍에 의한 것)의 출현을 빼면 행성 자체는 흥미로운 점이 없다. 토성은 행성 가운데서 밀도가 가장 낮은 것이 특징이기도 한데, 만약 거대한 바다에 띄운다면 둥둥 떠다닐 것이다.

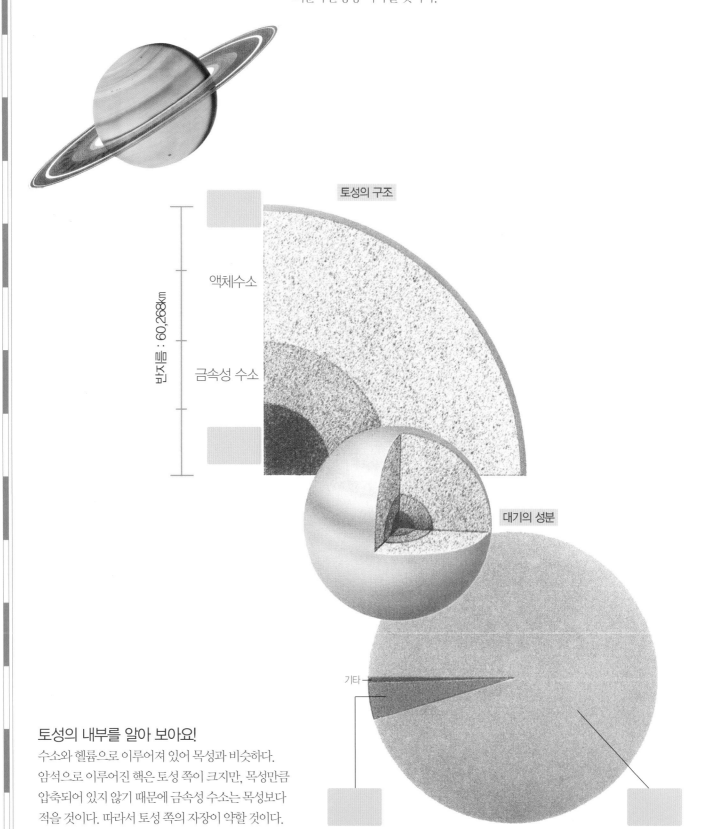

토성의 구조

반지름 : 60,268km

액체수소

금속성 수소

대기의 성분

기타

토성의 내부를 알아 보아요!

수소와 헬륨으로 이루어져 있어 목성과 비슷하다. 암석으로 이루어진 핵은 토성 쪽이 크지만, 목성만큼 압축되어 있지 않기 때문에 금속성 수소는 목성보다 적을 것이다. 따라서 토성 쪽의 자장이 약할 것이다.

토성을 색칠해 보세요.
토성을 표면을 잘 살펴보고 색칠한 뒤, 띠도 그려보아요.
빈칸에 답을 적은 뒤, 영어 이름도 따라 써 보세요.

Saturn

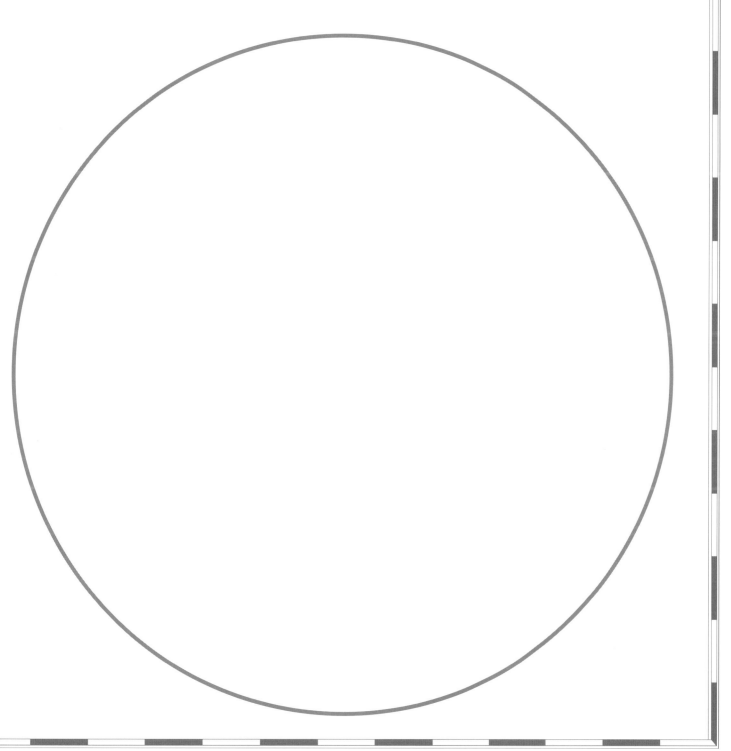

태양계 I

태양계는 항성인 태양과 태양을 도는 여덟 개의 행성, 수백 개의 위성, 몇 백만 개에 이르는 혜성, 그리고 무수한 소행성으로 이루어져 있다. 태양계 전체를 지배하고 있는 태양은 행성을 다 합한 것의 천 배에 이르는 질량을 갖고 있다. 핵융합으로 생기는 에너지로 빛을 내며, 태양계의 다른 천체에 열과 빛을 주고 있다. 태양의 중력에 이끌려 원에 가까운 궤도를 그리며 태양의 둘레를 돌고 있는 여덟 개의 행성은 2개의 무리로 나뉜다. 태양에 가깝고 암석으로 이루어진 작은 행성 4개와 태양에서 멀리 떨어져 있고 가스로 이루어진 큰 행성 4개가 그것이다.

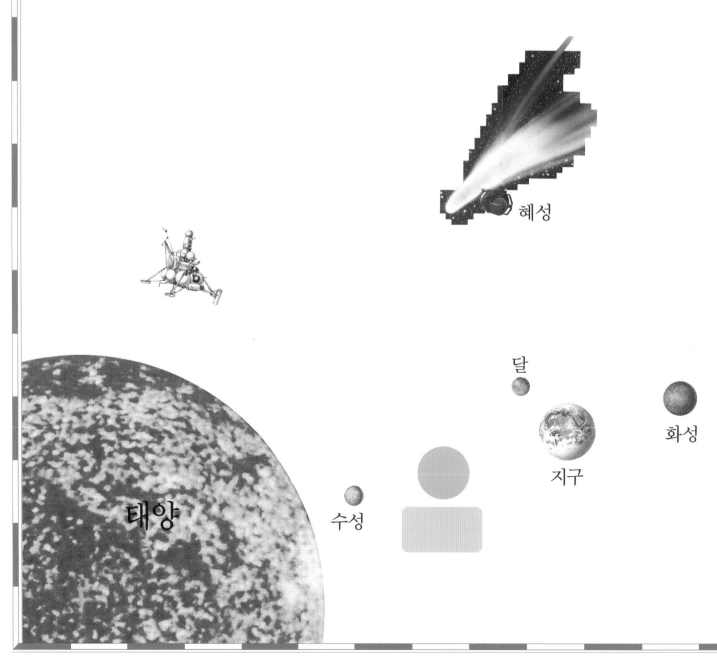

혜성

달

화성

지구

태양   수성

태양계를 잘 살펴보고, 색칠하면서 어느 행성인지 알아 보아요.
행성 이름을 빈칸에 써 보세요.

토성

태양계 II

태양계는 항성인 태양과 태양을 도는 여덟 개의 행성, 수백 개의 위성,
몇 백만 개에 이르는 혜성, 그리고 무수한 소행성으로 이루어져 있다.

지구

목성

해왕성

다른 행성을 모두 합한 것보다
크다. 대기 맨 위층의 가스가
적갈색과 오렌지색 구름이
되어 줄무늬를 만들고 있다.

온실효과로 인해 태양계에서
가장 뜨거운 행성이다. 대기는
거의 이산화탄고이고, 산성비
가 내린다.

생명체에 꼭 필요한 물이 있는
유일한 행성이며 지진이나 화
산이 끊임없이 표면을 변화시
키고 있다.

어떤 행성일까요?
다음 설명을 읽고 어떤 행성인지 찾아 줄로 이어 보세요.

금성　　　　　　　　　　　　　　　천왕성　　　　　　　　　　　　　　　세레스

소행성 가운데 가장 크며, 탄소가 풍부한 점토질 암석으로 햇빛을 조금밖에 반사하지 않는다.

태양에서 가장 멀리 떨어져 있으며 가장 센 바람과 거친 폭풍이 불고 있다. 4개의 고리와 13개의 위성이 있다.

옆으로 쓰러져 태양을 돌고 있다. 다른 가스 거대 행성에 비해 기후가 화창하고 온화하며 11개의 고리와 27개의 위성이 있다.

태양계 Ⅲ

태양계는 항성인 태양과 태양을 도는 여덟 개의 행성, 수백 개의 위성,
몇 백만 개에 이르는 혜성, 그리고 무수한 소행성으로 이루어져 있다.

지구

화성

목성

포보스

달

미마스

위성이 없거나, 하나 또는 여러 개인 행성이 있답니다.
다음 그림들을 보고 행성과 위성을 올바르게 이어 보세요.

토성

천왕성

해왕성

트리톤

가니메데

움브리엘

달

달은 지구의 위성이다. 크기가 지구의 4분의 1 남짓해서 지구와 달은 이중 행성에 가깝지만, 비슷한 면은 거의 없다. 지구에는 끊임없이 변하는 지표와 큰 바다, 행성을 보호하는 대기가 있지만, 달은 대기가 없는 불모의 세계이다.

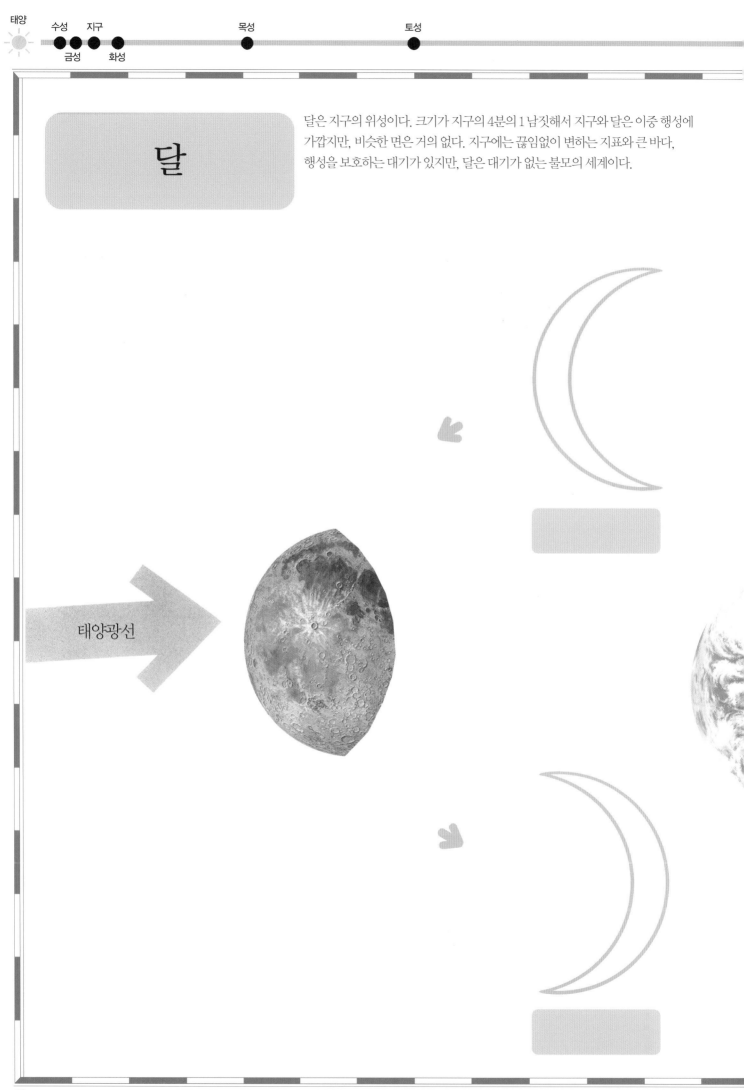

태양광선

달은 지구의 위성이에요.
달의 변화를 잘 살펴보고, 색칠하면서 각각의 달의 이름과 모양을 알아 보아요.
영어 이름도 따라 써 보세요.

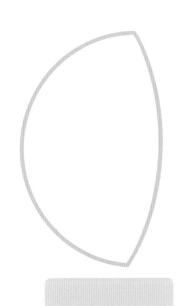

Moon

지구

보름달

13

은하 도시

우리 은하계에는 2천억 개 이상의 별들이 거대한 나선형으로 모여 있다. 그 지름이 10만 광년이다. 그 속에서 태양은 아주 작은 구성원에 지나지 않는다. 은하계 중앙부의 불룩한 중심에는 늙은 적색이나 황색 별들이 빽빽이 모여 있다. 나선형 팔에서는 별들이 탄생하고, 젊고 뜨겁고 푸른 별이 흩어져 있다. 그곳에 새 별의 재료가 되는 가스나 먼지가 풍부하기 때문이다. 은하계를 둘러싸는 헤일로에는 가장 오래된 별들이 드문드문 있다. 천문학자들은 은하계의 중심부를 이렇게 자전시킬 수 있을 정도의 힘을 지닌 암흑 물질이 대량으로 존재할 것이라고 믿고 있다.

〈십자말 풀이〉

❶							
이	소	연					핼
			❷				
							혜
		❸					성
				태	양	계	
							화
나	브	스	타		❹		성

우주에는 태양과 같은 항성이 수없이 많고, 지구와 비슷한 행성도 셀 수 없이 많아요.
많은 은하군도 존재하고 무수한 별들이 있어서 과학자들이 계속 탐사를 하고 있어요.
빈칸에 들어갈 낱말을 보기에서 찾아 써 보세요.

보기 | 율리시스, 명왕성, 데이모스, 오리온자리

❶ 목성의 위성으로 새까만 암석으로 이루어져 있어요..

❷ 그리스신화에 나오는 사냥꾼의 별자리에요. 전갈에 물려서 죽었답니다.

  이 별자리에는 새빨간 베텔게우스와 청백색의 리켈을 비롯해 밝은 별이 많아요

❸ 1990년에 태양의 극을 조사하기 위해 발사되어 먼저 외행성인 목성을 향해 날아간 뒤,

  목성의 거대한 중력을 이용해 태양의 극지가 보이는 궤도에 진입한 탐사선이에요.

❹ 처음엔 태양계의 아홉 번째 행성이었어요.

  그러나 2006년, 왜소행성으로 분류된 행성이에요.

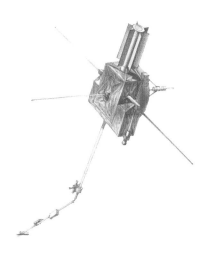

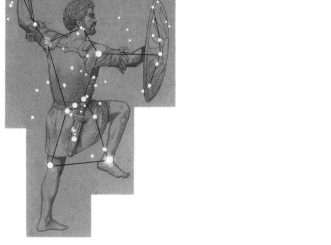

북반구 하늘의 별

세계 각지의 문화는 독자적인 별자리를 만들어 냈지만, 현재 알려진 별자리의 대부분은 2,500년 이상 전에 바빌로니아와 그리스에서 사용되었던 것이다. 별은 지구의 자전에 의해 뜨거나 지기 때문에 인류는 이런 별의 배치를 통해 시각을 알았고, 지구의 북극 방향에 있는 북극성을 기준으로 별을 관측하며 항해했다. 그리고 지구 공전에 따른 별자리 위치의 변화를 이용해 달력으로도 사용했다.

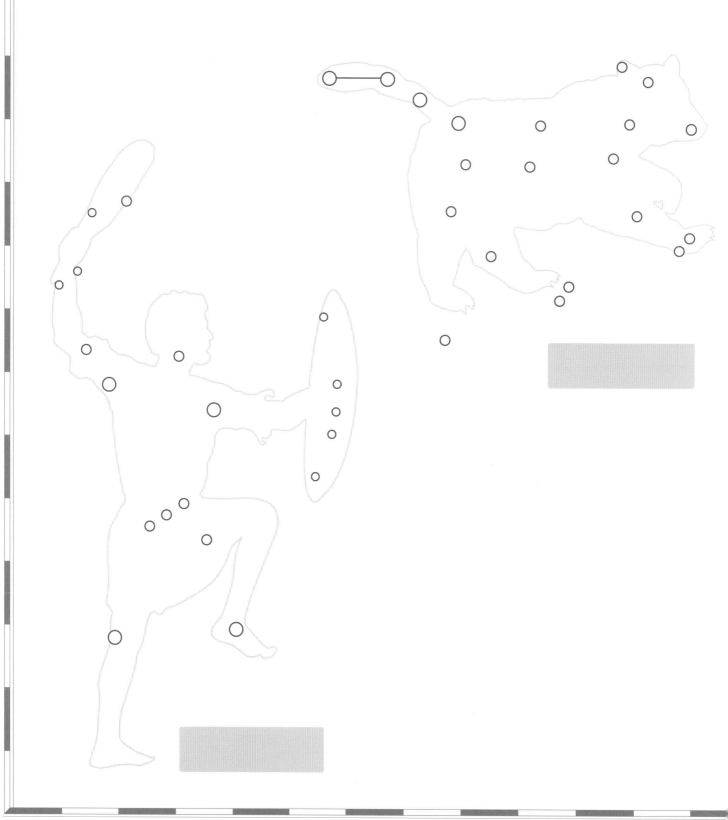

다음 별자리들을 완성해 보세요.
별자리를 잘 살펴보고, 몇 월쯤에 볼 수 있는 별자리인지 알아 보아요.
보기에서 별자리 이름을 찾아 적어 보아요.

보기 큰곰자리, 페르세우스자리, 안드로메다자리, 오리온자리

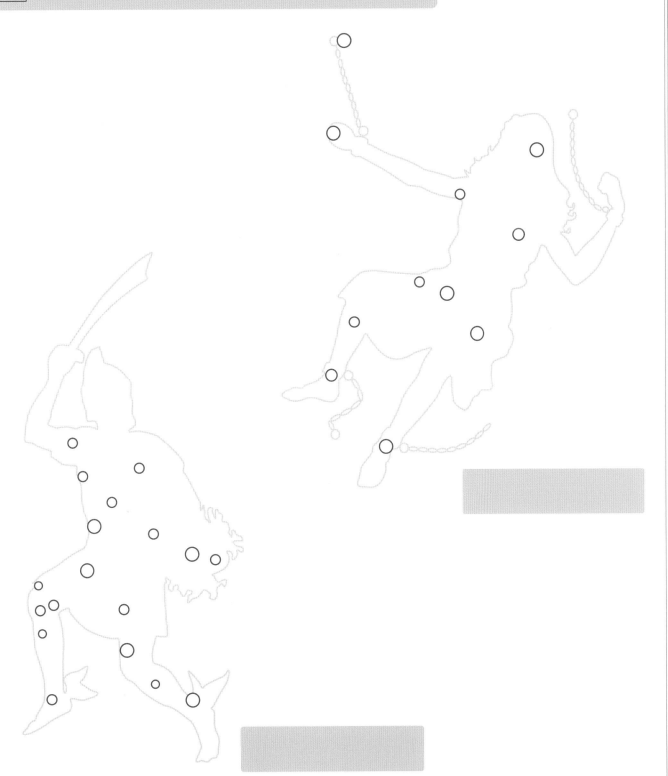

남반구 하늘의 별

17~18세기의 유럽 탐험가들이 북반구에서는 볼 수 없었던 남반구의 별자리에 화가, 공기펌프, 인디언 등 낯익은 이름을 붙였다. 남반구에서는 항해에 도움을 주는 북극성은 볼 수 없지만, 하늘은 더할 나위 없이 아름답다. 우리은하의 중심이 지구의 남쪽 방향에 있고, 밝은 별들이 모여 있는 곳을 남반구 쪽이 마주보기 때문이다. 가장 가까운 은하인 대소 마젤란 성운도 남반구 하늘에서 볼 수 있다

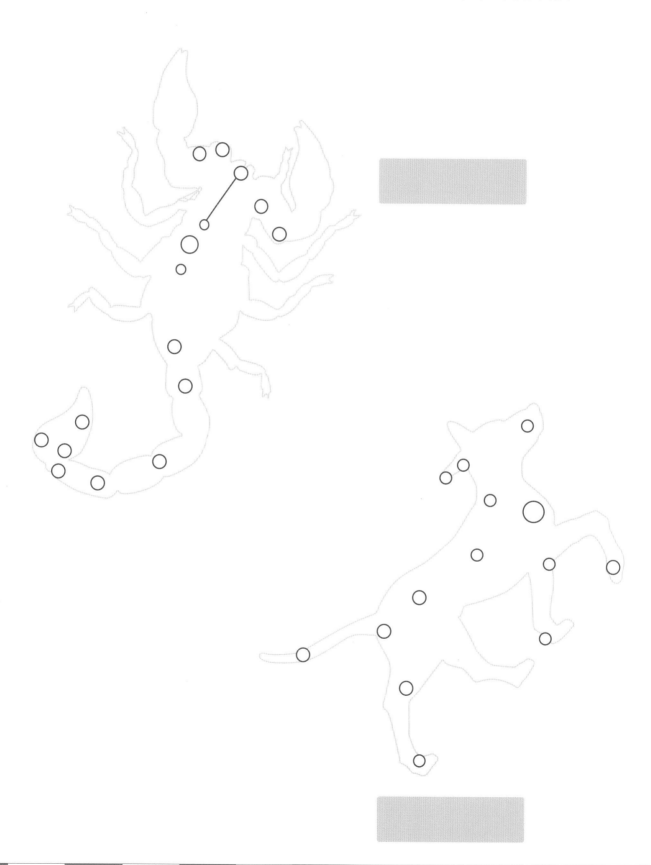

다음 별자리들을 완성해 보세요.
별자리를 잘 살펴보고, 몇 월쯤에 볼 수 있는 별자리인지 알아 보아요.
보기에서 별자리 이름을 찾아 적어 보아요.

보기 큰개자리, 남십자자리, 물뱀자리, 센타우루스자리, 전갈자리

별을 향해

다음 물체들의 이름을 찾아 줄로 이어 보세요.

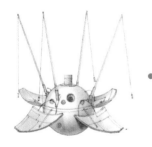

루나 9호

바이킹 1, 2호

파이어니어 10호

우주왕복선

그 밖의 별들

보기에서 질문의 답을 찾아 빈칸에 써 보세요.

보기

트리톤

핼리혜성

달

명왕성

가니메데

• 명왕성의 위성은 카론이다. 지구의 위성은?

    ....

• 76년마다 지구를 지나가는 혜성은?

    ....

• 태양계에서 가장 큰 위성은?

    ....

• 2006년 왜소행성으로 분류된 행성은?

    ....

별의 생애

별은 성운이라 불리는 먼지나 가스로 이루어진 어두운 구름 깊숙한 곳에서 태어납니다.
별의 탄생 순서에 따라 빈칸에 숫자를 써 보세요.

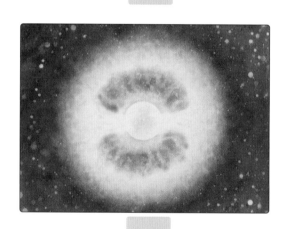

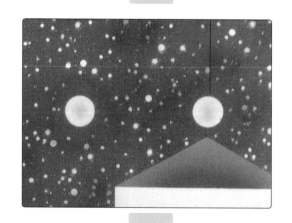